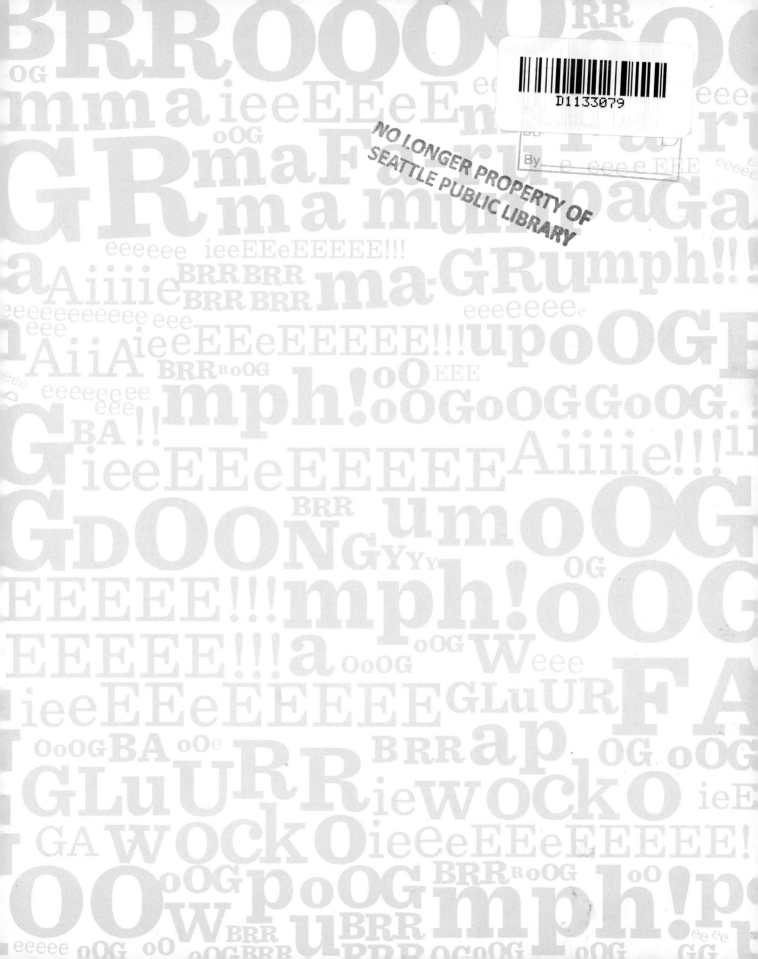

The
Book
With
No
Pictures

B.J. Novak

Dial Books for Young Readers
an imprint of Penguin Group (USA) LLC

This is a book with
no pictures.

It might seem like no fun to have someone read you a book with no pictures.

It probably seems
boring
and
serious.

Except...

Here is how books work:

Everything the words say, the person reading the book *has to say.*

No matter what.

That's the deal.

That's the rule.

So that means...

Even if the words say...

BLORK.

Wait—what?

That doesn't even
mean anything.

BLuuRF.

Wait a second—what?!

This isn't the kind
of book I wanted to
read!

And I have to say
every word the book says?

Uh-oh...

I am a monkey who taught myself to read.

Hey! I'm not a monkey!

And now I am reading you this book with my **monkey mouth** in my **monkey voice.**

That's not true...
I am not a monkey!

Yes, I am
a monkey.

Also, I am a

WHAT?!

And my head
is made of
**blueberry
pizza.**

Wait a second—

Is this whole book
a trick?

Can I stop reading,
please?

No?!!

And now it's time
for me to sing you
my favorite song!

A song?

Do I really have to sing a—

♫ glug
glug
glug ♫
my face is a
bug...
♫
♫
♫

I eat ants for ♫

breakfast

right off the

ruuuuuuug!

What?!

This book is ridiculous!

Can I stop reading yet?

No?!?

There are MORE pages?!

I have to read the rest?!?!

My only friend in the whole wide world is a hippo named

BOO BOO BUTT

BooBooButt?!

and also,
the kid I'm reading
this book to is

THE BEST

IN THE HISTORY OF

KID EVER

THE ENTIRE WORLD

Oh, really?

and this kid is the
smartest kid
too, because this kid
chose this book
even though it had
no pictures

because kids know
this is the book
that makes grown-ups
have to say
silly things!

and...

make silly sounds like...

oh no oh no here it comes...

GLuURR-
GA-WOCKO
ma
GRUMPH-
a-doo

AiiEE! AiiEE!
AiiEE!!!

BRROOOOoOG
BRROOoOOOG
BRROOOOoOG

OOOOOOOmph!
EEEEEEEmph!

Blaggity-BLaGGITY
GLIBBITY-globbity
globbity-GLIBBITY

BEEP. BOOP.

eeeeeeeeeeeeeeeeeeeeeeeeeeeeeeeeeeee
eeeeeeeeeeeeeeeeeeeeeeeeeeeeeeeeeeee
eeeeeeeeeeeeeeeeeeeeeeeeeeeeeeeeeeee
eeeeeeeeeeeeeeeeeeeeeeeeeeeeeeeeeee
eeeeeeeeeeeeeeeeeeeeeeeeeeee

Ba-
DOOONGY
FACE!!!!!

Oh

my

goodness.

Please don't
ever
make me read
this book again!

It is so... **silly!**

In fact, it is completely
and utterly
preposterous!

Next time,

please please please please

please

choose a book with pictures.

Please?

Because this is just too

ridiculous

to read.